Tim

Le tour du monde de Nino

Martine Dorra est née en 1947 à Paris. C'est à sept ans, en lisant les *Mémoires d'un âne* de la comtesse de Ségur, qu'elle décide de devenir écrivain. En attendant, elle exerce brièvement le métier de psychologue, puis elle se lance avec succès dans la création de mobilier design et ouvre même des magasins de meubles avec son mari. Elle a depuis cessé toute activité professionnelle et se consacre à l'écriture, à ses enfants et aux voyages, qu'elle aime lointains. Ses livres sont édités au Seuil, chez Syros, Mango et Bayard Éditions.

Matthieu Blanchin fait ses études à l'école Émile Cohl, à Lyon, puis s'installe à Paris. Il travaille pour de nombreux éditeurs jusqu'en 2002, année où il séjourne accidentellement dans un coma de quinze jours. À son réveil, il revient au dessin avec la BD *Calamity Jane, Martha Jane Cannary*. Son dernier album, *Quand vous pensiez que j'étais mort*, raconte les souvenirs de voyages extraordinaires de son coma.

Deuxième édition - février 2019

Imprimé en France par Pollina - 88172b

Martine Dorra • Matthieu Blanchin

Le tour du monde de Nino

J'AIME LIRE

1

Nino le rêveur

Nino habitait un village de pêcheurs au bord de la mer Méditerranée. Il était le fils du boulanger. En ce temps-là, les fils de marins devenaient marins, les filles de brodeuses devenaient brodeuses, les fils de boulangers devenaient boulangers...

Mais Nino n'aimait pas la boulange. Nino aimait regarder la mer, assis sur un rocher.

Alors des mots lui venaient aux lèvres. Et avec les mots, il fabriquait des phrases, qu'il gardait pour lui tout seul.

À la maison, son père disait souvent :

– Paresseux !

Il levait la main comme s'il voulait frapper Nino. Mais il ne le frappait jamais.

– Rêveur ! chuchotait sa mère en le serrant dans ses bras.

– Qu'est-ce qu'on va faire de toi ? se lamentait son père.

6

– Rêveur, ce n'est pas un métier ! se lamentait sa mère.

Chaque nuit, son père le réveillait et l'entraînait au fournil*. Tout blanc de farine, le boulanger plongeait ses bras puissants dans le pétrin de bois ; il tournait et retournait la pâte sans relâche, et il disait à Nino :

– Regarde ! Ce n'est pas si difficile ! À toi !

Nino enfonçait ses bras maigrichons dans la pâte collante. Mais, avec lui, la pâte refusait de se laisser pétrir.

* Fournil : c'est le lieu où le boulanger fait le pain.

Quand le boulanger sortait les miches dorées du four, il s'écriait :

– Est-ce que ce n'est pas magique ? Un peu de farine, du sel, de l'eau, du levain, et voilà de quoi régaler une famille !

Oh oui ! C'était magique ! Nino admirait beaucoup son père, qui savait faire des pains de toutes sortes : des baguettes, des couronnes, des pains italiens à la mie épaisse et blanche, des pains au pavot et du pain azyme*.

* Pain azyme : c'est un pain fait d'une pâte qui ne gonfle pas.

Il avait appris son métier en voyageant, de pays en pays, tout autour de la Méditerranée.

C'était un si bon boulanger que tout le monde voulait le garder. Un jour, un sultan lui avait même offert son plus beau cheval s'il acceptait de rester. Mais le boulanger avait refusé. Il expliquait à son fils :

— C'était une bête sauvage, juste bonne à me casser le cou. J'avais bien assez de mes deux jambes pour voyager !

Alors le sultan lui avait offert sa charmante fille cadette en mariage. Cela ne l'avait pourtant pas décidé à rester.

– J'avais une fiancée qui m'attendait au village, disait le boulanger en clignant de l'œil vers sa femme.

– Et si tu n'étais pas revenu, je serais allée te chercher ! lançait sa femme en riant.

Nino ne se lassait pas d'entendre les histoires de son père. Le soir, avant de s'endormir, il se les racontait avec ses mots à lui. Et les histoires devenaient merveilleuses.

2

Le mystère de l'arbre à pain

Un jour où Nino rêvait sur la plage, il vit une goélette˙ ancrée dans la baie du village. Quel évènement ! De grands voiliers passaient au large, mais aucun ne s'arrêtait, car le port du village était minuscule.

Ce bateau avait essuyé une tempête. Les voiles étaient déchirées, un mât menaçait de s'écrouler, les vivres étaient gâchés.

˙Tous les mots ou les séries de mots suivis de ce signe sont expliqués pages 44 et 45.

Et, surtout, l'équipage était épuisé. Le capitaine avait décidé de jeter l'ancre dans la baie.

Au village, on s'activait pour nourrir l'équipage et l'aider à réparer. Le boulanger pétris-
sait jour et nuit... Quel supplice pour Nino !

Dès qu'il pouvait s'échapper, il courait
rejoindre les marins de la goélette. Ils avaient
tant d'histoires à raconter !

Nino aimait surtout écouter un vieil ivrogne, surnommé Long-Nez : comme il avait failli se noyer dans la tempête, il était au repos. Il reprenait des forces à la taverne à coups de pichets de vin. Sa bouche édentée crachait des postillons* et... des mots merveilleux ! Alizé, poisson-lune, atoll, hibiscus*...

Nino était fasciné. Il attrapait les mots au vol et, le soir, dans son lit, il les répétait doucement.

Un jour, Long-Nez parla de l'arbre à pain.

* Postillons : ce sont des gouttes de salive.

Nino s'étonna :

– L'arbre à pain, monsieur, vous avez dit l'arbre à pain ?

– Eh oui, moussaillon, l'arbre à pain ! Dans cette île de rêve, les pains tombent des arbres.

Nino pensa : « Les pains tombent des arbres ! Alors, dans ce pays, on n'a pas besoin de souffrir à pétrir la pâte ! Et quel temps gagné pour rêver ! » Il s'écria :

– Je veux partir sur la goélette !

– Bravo, approuva Long-Nez, les voyages forment la jeunesse ! Parles-en donc au capitaine.

– Je veux partir sur la goélette ! dit Nino au capitaine.

Ce dernier hocha la tête :

– Bonne idée ! Nous avons besoin d'un boulanger !

Boulanger ! Nino ne s'attendait pas à ça. En fait, il ne s'attendait à rien du tout. Pour lui, naviguer sur les mers était une jolie idée tout à fait irréelle*. Et un bon moyen d'échapper à la boulange. Et, là-bas, au bout du voyage, il y avait l'arbre à pain, la solution à tous ses soucis.

* Irréelle : qui n'existe pas dans la réalité.

3

Un drôle de matelot

En rentrant à la maison, Nino trouva son père en colère :

– Je t'attendais ! Nous avons du pain sur la planche ! Où étais-tu ?

Nino répond :

– Avec le capitaine. Je veux partir sur la goélette. Le capitaine accepte de m'emmener.

– Matelot, c'est un dur métier, soupira sa mère.

– Ce n'est pas un métier ! affirma son père.

Et il ajouta :

– Viens au fournil. J'ai en commande vingt pains au lait et dix miches de campagne.

Le boulanger déposa les pâtons* sur la table. Nino huma l'odeur de la pâte levée. C'était une odeur familière, rassurante. Pourtant, il voulait partir.

En attendant, il se battait avec les tresses des pains au lait... Faire des nattes au pain, quelle idée ! Autant tresser des serpents ! Les cordes de pâte s'échappaient, collaient aux doigts.

* Pâtons : ce sont des morceaux de pâte à pain.

Son père soupira :

– Quel bon à rien ! Allez, enfourne les miches ! Et ne te brûle pas !

Nino se brûla. Il serra les lèvres, mais des larmes lui mouillèrent les yeux.

– Tu t'es brûlé ! Quel maladroit ! dit son père. Va vite voir ta mère pour qu'elle te soigne. Et demande-lui de venir m'aider. Toi, va donc vadrouiller, puisque c'est tout ce que tu sais faire !

Quand les pains tressés furent dorés à point, le boulanger en remplit un panier.

Il tendit le dernier à son épouse :

– Régale-toi !

– Je le garde pour Nino, dit-elle.

– Nino ! Nino ! Il ne mérite pas le pain qu'il mange !

– C'est encore un enfant.

– À son âge, je connaissais déjà le métier. Qu'est-ce qu'on va faire de lui ? s'inquiéta le boulanger.

– Laissons-le partir sur le bateau, il apprendra

bien quelque chose, répondit son épouse.

Le boulanger écarquilla les yeux :

– Tu crois ? Et si le bateau faisait nau-
frage... et si des pirates...

– Il faut avoir confiance. Toi aussi, dans ta
jeunesse, tu as voyagé, et tu es revenu, sain
et sauf !

Et Nino s'embarqua sur le navire.

Avec Nino comme boulanger, les matelots
eurent à manger du pain brûlé, du pain col-
lant, et plein d'autres choses poisseuses et
répugnantes.

Les matelots se plaignirent au capitaine.

Nino fut dispensé de faire du pain. On l'envoya sur le pont apprendre le métier de matelot.

Mais Nino n'était pas meilleur mate-lot que boulanger. Il embrouillait les cordages, il se piquait en voulant coudre une voile, il tombait en grimpant aux mâts.

Nino se faisait traiter de toutes sortes de noms de singes, de plantes ou d'oiseaux. Sur la goélette, ces noms remplaçaient les gros mots, interdits par le capitaine.

– Qu'est-ce qui m'a fichu un pareil sapajou˙ ! criait le capitaine.

– Sauve-toi, pimbina˙, avant que je te caresse les côtes à coups de pagaie ! hurlait le maître d'équipage.

– E s p a r g o u t e˙ ! Espargoute ! postillonnait Long-Nez.

Nino s'en fichait. Il regardait la mer et apprenait des mots. Les mots du bateau : artimon, perroquet, cacatois, drisse, hauban, brigantine˙. Les mots de la navigation : largue, travers, fuite, lofer, sextant, rose de compas˙...

Dans le pot au noir*, il apprit les mots de l'ennui des jours sans vent, du désespoir des jours sans boire. En passant le cap Horn, quand les vagues semblaient avaler le bateau, il connut les mots de la tempête.

Long-Nez hurlait :

– Accroche-toi, cacatoès*, et ne regarde pas derrière !

Nino regardait quand même : à la poupe, une montagne d'eau poursuivait le voilier qui fuyait en planant sur les vagues.

* Pot au noir : c'est un endroit très brumeux de l'océan où les bateaux à voile n'arrivent pas à avancer.

4

L'île de rêve

Enfin, ils voguèrent dans le grand Pacifique. Nino était maintenant si lourd de mots qu'il en avait parfois mal à la tête. Alors, il allait les crier au souffle des alizés˙.

Un soir, le capitaine l'entendit, et il demanda :

— C'est de toi, mon garçon ?

— De moi ? Ce sont des mots que j'attrape ici et là. Il y en a des vieux, de mon enfance, et des tout neufs. Je les arrange à ma façon. Je ne fais pas de mal !

– Au contraire, dit le capitaine : tu es un poète.

Nino se défendit :

– Non, non ! Je vous assure !

Le capitaine se mit à rire :

– C'est beau, d'être poète. Il faut de tout pour faire un monde, des marins, des docteurs...

– Des boulangers ! ajouta Nino.

Ainsi, Nino était poète, il n'avait plus besoin de se cacher pour dire ses mots. Au contraire, on les lui demandait. Nino trouvait les mots qui font rire, et les mots qui consolent. Parfois, un mot de Nino se plantait comme une flèche dans le cœur durci d'un marin. Alors son cœur fondait, et le marin pleurait.

Enfin, l'île de rêve apparut sur l'horizon !
Une grande agitation s'empara des matelots.
Même le capitaine s'y mettait, parcourant le
pont à grandes enjambées, donnant ordres et
contrordres !

Au milieu de ce remue-ménage, Nino était
heureux : il allait découvrir le fameux arbre
à pain !

Des marins avaient de la famille dans l'île.
Le capitaine y avait sa femme et ses enfants.
L'accueil fut magnifique : chants, colliers de
fleurs, couronnes de fougères...

Derrière sa couronne qui lui tombait sur le
nez, Nino cherchait des yeux l'arbre à pain.
Il questionna un garçon, qui lui montra un
grand arbre aux belles feuilles larges. Mais
à ses branches ne pendaient ni miche ni
baguette, encore moins de brioche ou de pain
au chocolat...

Non, l'arbre à pain portait tout simplement des fruits ! Des fruits ronds et verts, gros comme une tête ! Le garçon expliqua :

– Cuits au feu de bois et arrosés de sauce, ils sont délicieux !

Nino s'était bien fait avoir ! Il fonça sur Long-Nez et il lui jeta à la figure quelques mots pas très poétiques.

Long-Nez postillonna :

– Tu m'as cru ? Quel ornithorynque* !

Nino tenta de lui envoyer un coup de poing, mais Long-Nez esquiva, et Nino s'étala sur le sable.

Long-Nez s'écria :

– Tu devrais me remercier, esturgeon ! Sans l'arbre à pain, tu ne serais sans doute jamais parti !

Le capitaine suivait la scène d'un œil amusé. Il dit :

– Long-Nez n'a pas tort. Sans rêve ni illusion, il n'y aurait pas de voyageurs ! Les uns cherchent un continent, les autres des trésors. Mais une chose est sûre : aucun arbre au monde ne peut remplacer le savoir-faire de ton père.

Nino oublia sa déception. Il parta-
geait la vie des gens de l'île. Il allait à la
pêche, il aidait à ramasser les noix de
coco... Évidemment, quand il ramait,
la pirogue tournait en rond, quand
il pêchait, la ligne s'emmêlait! Et pas moyen
de le faire grimper aux cocotiers! Mais les
gens de l'île étaient gentils, et les maladresses
de Nino les amusaient beaucoup.

Le soir, souvent, on chantait, on dansait. Nino disait ses mots. La musique des musiciens accompagnait la musique des mots de Nino.

De temps en temps, la goélette s'en allait vers d'autres îles, chargée de coprah, de nacres*. À chaque départ, c'étaient des larmes ; à chaque retour, des fêtes. Et, chaque fois, Nino trouvait des mots pour accompagner la tristesse et la joie.

5

La nouvelle vie de Nino

Nino était heureux, mais ça ne lui suffisait pas. Il rêvait à d'autres paysages, d'autres gens, d'autres mots.

Le capitaine l'encourageait à partir. Mais comment faire sans un sou ?

– Je pourrais peut-être m'engager comme matelot, dit Nino.

Le capitaine protesta :

– Voyons, mon garçon, tu es un poète, pas

un marin ! Avec nous, tu es bien tombé. Mais sur un autre navire, tu pourrais avoir une brute comme capitaine, et des pirates comme matelots. Prends patience. Une occasion se présentera...

Un jour arriva un riche excentrique* qui parcourait les mers sur un magnifique clipper˙. Il entendit Nino, et il dit au capitaine :

– Ce garçon est un prodige. Ah ! S'il acceptait de partir avec moi ! J'ai toujours rêvé d'avoir un poète à mes côtés.

* Excentrique : un homme bizarre et un peu fou.

Le capitaine en discuta avec Nino :

– Voilà l'occasion ! Tu n'auras rien d'autre à faire qu'à dire tes poèmes. Tu seras nourri et logé comme un prince.

De nouveau, Nino allait quitter les gens qu'il aimait. Le capitaine lui glissa dans les mains un gros cahier aux pages glacées :

– Pour écrire tes mots ! dit-il en essuyant une larme.

Long-Nez était si ému qu'il postillonnait encore plus que d'habitude. Il donna à Nino son couteau. Ses amis de l'île lui offrirent une nacre gravée.

Une nouvelle vie commença. Nino avait une jolie cabine en bois de rose et d'acajou pour lui tout seul. Il portait des vêtements de soie et une toque à plumes.

Jamais il n'avait autant bu et mangé. Un prince ! Et Nino disait ses mots. Il ne les disait plus au vent, ni aux matelots ni aux oiseaux. Il les gardait pour le riche excentrique et ses quelques amis.

D'ailleurs, le vent n'avait plus l'odeur marine, les matelots évitaient Nino, les oiseaux le fuyaient.

Chaque jour, Nino mettait son habit de soie, sa toque à plumes, et il ressassait* les mêmes mots devant le riche excentrique et ses amis. Ces gens avaient l'air fatigué et moqueur.

Une grande tristesse envahit Nino. Une tristesse pour laquelle il n'avait pas de mot.

* Ressassait : ressasser, c'est répéter de façon fatigante.

Un jour, le riche excentrique apporta un petit singe, et il dit :

– Ce singe est un prodige ! J'ai toujours rêvé d'avoir un singe avec moi.

Ce soir-là, tandis que Nino disait ses mots, le petit singe arriva coiffé d'une toque à plumes. Il fit des cabrioles, et il but du vin dans un dé à coudre en cristal.

Nino s'arrêta au milieu d'une phrase et quitta la salle à manger.

Il alla s'accouder au bastingage° du clipper. À travers ses larmes, il regardait danser les étoiles. Devant lui scintillaient les lumières d'un port. Alors, des mots affluèrent et s'envolèrent dans la nuit tiède en emportant la tristesse de Nino.

Nino prit ses affaires, il se glissa dans une barque avec des marins du clipper qui allaient passer la nuit dans les tavernes du port.

Nino ne revint jamais sur le clipper. Il partit d'île en île, de ville en ville, de pays en pays, disant et chantant ses poésies. Même ceux qui ne comprenaient pas la langue de Nino étaient pris par le charme de ses mots.

Nino ne s'enrichissait pas : les poètes sont rarement riches ! Mais il était libre.

Le tour du monde s'achevait. Son impatience grandissait de revoir ses parents.

Il rentra enfin au village. Il apportait avec lui une malle remplie de cadeaux de tous les pays. Des marionnettes, des tissus, des parfums, des perles, des statuettes, et encore mille autres babioles et choses précieuses.

Il découvrit ses deux petits frères, Tino et Tito, qui étaient nés après son départ.

Son père lui dit :

– Comme tu es grand ! Plus grand que moi !

– Comme tu es beau ! Si beau ! dit sa mère.

Pendant ce temps, Tino et Tito vidaient la malle en poussant des cris de joie.

– Tito sera boulanger comme moi, dit le père.

– Et Tino, matelot comme toi ! dit la mère.

Nino sourit :

– Je ne suis pas matelot.

– Tu n'es pas pirate, au moins ? s'inquiéta

son père en montrant la malle aux trésors.

– Pirate ! Moi ? Mais non, voyons ! Je suis…

– Marsant de zouets ! dit le petit Tino.

– Mazicien ! dit le petit Tito.

– Je suis poète ! déclara Nino.

Sa mère l'embrassa :

– Poète ! Quel beau métier !

Son père leva la main vers le ciel… puis il la laissa retomber sur l'épaule de Nino. Et ses yeux brillaient de fierté.

Les mots de Nino

En lisant l'histoire de Nino, tu as découvert avec lui beaucoup de mots nouveaux ! Pour t'aider à les comprendre, voici un petit carnet de voyage.

Les mots des îles lointaines

Les alizés :
des vents, qui soufflent sur l'océan Pacifique et l'océan Atlantique.

Un atoll :
une île en forme d'anneau.

Le coprah :
une partie de la noix de coco dont on fait de l'huile.

Un poisson-lune :
un poisson tout rond !

La nacre :
un beau coquillage.

Un hibiscus :
un arbre aux grandes fleurs, souvent rouge vif.

Les « gros mots » des marins

Le cacatoès :
un oiseau d'Australie.

L'ornithorynque :
un drôle de mammifère avec un bec et des pattes palmées.

Le sapajou :
un singe.

L'esturgeon :
un poisson.

Le pimbina et l'espargoute :
des plantes.

Les mots de la navigation

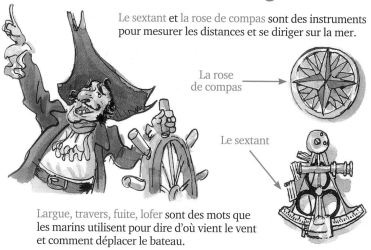

Le sextant et la rose de compas sont des instruments pour mesurer les distances et se diriger sur la mer.

La rose de compas

Le sextant

Largue, travers, fuite, lofer sont des mots que les marins utilisent pour dire d'où vient le vent et comment déplacer le bateau.

Les mots du bateau

La drisse est le nom d'un cordage.

La goélette et le clipper sont des voiliers.

Le cacatois est le nom d'une voile.

La brigantine est le nom d'une voile.

Le perroquet est le nom d'une voile.

L'artimon est un mât.

La poupe est l'arrière du bateau.

Les haubans sont des câbles qui servent à soutenir le mât.

Le bastingage, c'est la barrière qui fait le tour du bateau.

Dans la même collection

Jean Alessandrini · Guillaume Long
**Mystère
et chocolat**

Jean Tévélis · Benjamin Bachelier
**Le cross
des écoles**

Arnaud Alméras · Joann Sfar
**L'île
aux pirates**

A.-I. Lacassagne · Fred Benaglia
**La bataille
des slips**

Nicolas de Hirsching · Claire de Gastold
**Le mot
interdit**

Nicolas de Hirsching · Serge Bloch
**L'atroce
monsieur Terroce**

Ségolène Valente · Emmanuel Ristord
**Une petite bête
chez Vampirette**

Nicolas de Hirsching · Pierre Van Hove
**Sauvons
la maîtresse !**

Jean-Marc Ligny · Sébastien Pelon
L'enfant bleu

Marie-Aude Murail · Frédéric Joos
**L'ESPIONNE
à votre service !**

Marie-Aude Murail · Boiry
**Noël à tous
les étages**

Gwénaëlle Boulet · Aurélie Neyret
**Les trois
étoiles**

Jo Hoestlandt · Frédéric Rébéna
**Une petite sœur
tombée du ciel**

Marie-Aude Murail · François Maumont
L'oncle Giorgio

Patricia Berreby · Cécile Carre
**Kazué
et le musicien**

Marie-Aude Murail · Frédéric Joos
**L'ESPIONNE
joue à l'espion**

Évelyne Reberg · Mérel

Ma mémé sorcière

Ségolène Valente · Emmanuel Ristord

Une nuit à Vampire Park

Jean-Marie Defossez · Didier Balicevic

Mon aventure sous la terre

Jo Hoestlandt · Clotka

La maîtresse est amoureuse

Véronique Massenot · Aurélie Guillerey

La lettre mystérieuse

Elsa Devernois · Laurent Audouin

Vacances de FOOT!

Fanny Joly · Denise et Claude Millet

La charabiole

Nicolas de Hirsching · Églantine Ceulemans

La sorcière habite au 47

Martine Dorra · Matthieu Blanchin

Le tour du monde de Nino

Jørn Riel · Antoine Ronzon

Nartouk, le garçon qui devint fort

Fanny Joly · Claude et Denise Millet

Les Pâtacolors, j'adore!

Anne Rivière · Philippe Diemunsch

Rentrée chez les sorciers

Rémi Chaurand · Nob

Qui a kidnappé le Père Noël?

Anne Schmauch · Nicolas Hubesch

Le hamburger de la peur

Elvire et Marie-Aude Murail · Lucie Durbiano

Il était trois fois

Marie-Aude Murail · Frédéric Joos

L'ESPIONNE est sur une piste!